Editor: April McCroskie
Asesor de redacción: Prue Goodwin

El Dr. Gerald Legg tiene un doctorado en zoología de la Universidad de Manchester. Actualmente es biólogo del Museo Booth de Historia Natural en Brighton.

Carolyn Scrace es graduada del Brighton College of Art, especializada en diseño e ilustración. Ha trabajado en animación, publicidad y ficción para niños. Es una de las principales colaboradoras de la popular serie Worldwise.

Prue Goodwin es conferencista del Lenguaje en la Educación y directora del INSET en el Centro de Información de Lenguaje y Lectura de la Universidad de Reading.

David Salariya nació en Dundee, Escocia, donde estudió ilustración e impresión, concentrándose en el diseño de libros en su año de postgrado. Ha sido el diseñador y creador de muchas de las nuevas series de libros infantiles de diversos editores en Gran Bretaña y el resto del mundo.

Un libro SBC concebido, editado y diseñado por The Salariya Book Company, 25 Marlborough Place Brighton BN1 1UB

© The Salariya Book Company Ltd., 1997.

Publicado originalmente en inglés por Franklin Watts, 96 Leonard Street, Londres.
Título original: *From seed to sunflower*
Traducción: Susana del Moral Zavariz
Editado en México, en 1999, por
Casa Autrey, S.A. de C.V.,
División Publicaciones,
Av. Taxqueña 1798,
Col. Paseos de Taxqueña,
C.P. 04250, México, D.F.
Tel: 5-624-0100 Fax: 5-624-0190

ISBN 970-656-305-9
Impreso en Bélgica

Ciclos de la vida

De semilla
a girasol

Escrito por el Dr. Gerald Legg
Ilustrado por Carolyn Scrace

Creado y diseñando por David Salariya

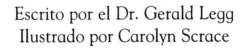

Autrey

Casa Autrey
División Publicaciones

Introducción	7
Semillas de girasol	8
Germinación	10
Raíces y retoños	12
Capullos	14
Crecimiento	16
La flor	18
Polinización	20
Semillas maduras	22
Plantas secas	26
Datos curiosos	26
Glosario	28
Índice	29

Las plantas usan
la energía
del sol para
producir
su alimento. Los
minerales en el
suelo también
le ayudan a
las plantas
a crecer. En
este libro puedes
ver cómo
una diminuta
semilla se
convierte
en un hermoso
girasol.

En otoño las semillas
de los girasoles maduros
caen al suelo. Una
semilla contiene una
pequeña planta y la
comida que el
retoño necesitará
para comenzar
a crecer.

Semilla de girasol

9

Las semillas se entierran en el suelo.
El suelo contiene minerales. Los
minerales son comida especial que ayuda
a las plantas a crecer. En primavera, el
cálido sol y la lluvia hacen que las
semillas comiencen a crecer. A esto se
le llama germinación.

La semilla se
queda enterrada
en el suelo todo
el invierno.

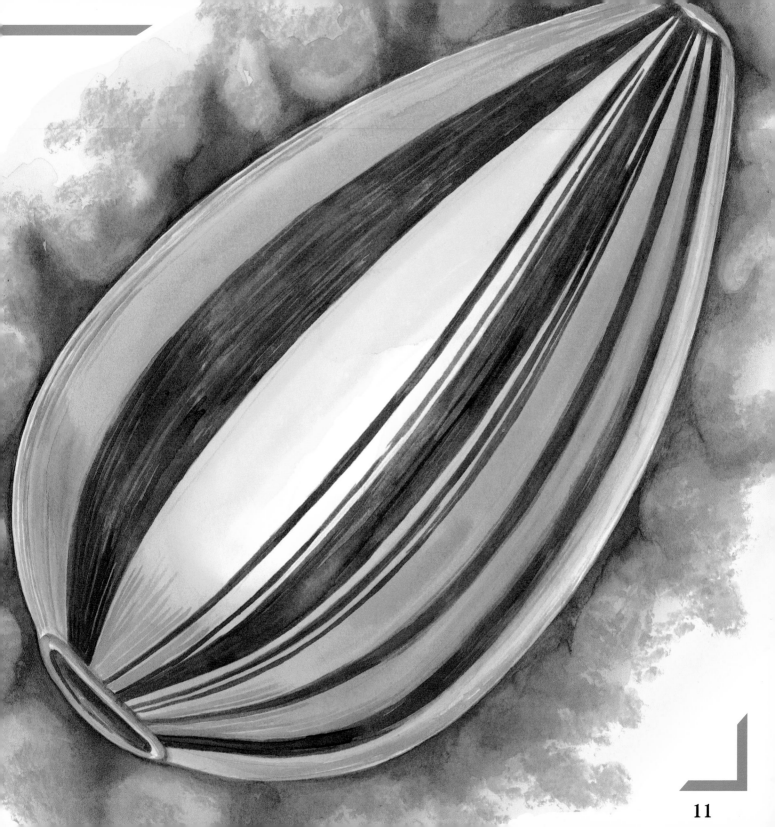

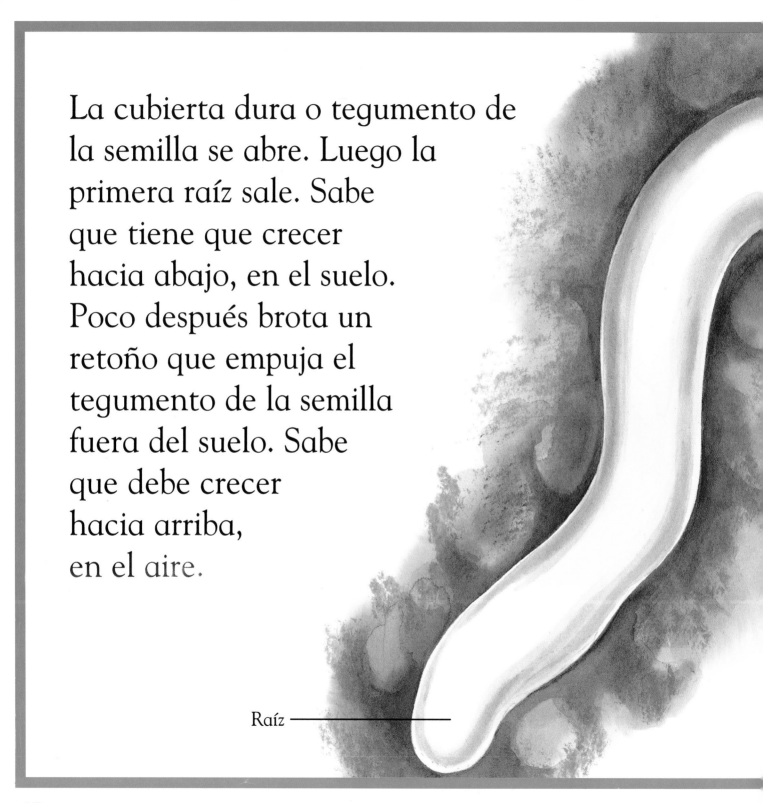

La cubierta dura o tegumento de la semilla se abre. Luego la primera raíz sale. Sabe que tiene que crecer hacia abajo, en el suelo. Poco después brota un retoño que empuja el tegumento de la semilla fuera del suelo. Sabe que debe crecer hacia arriba, en el aire.

Raíz —————

12

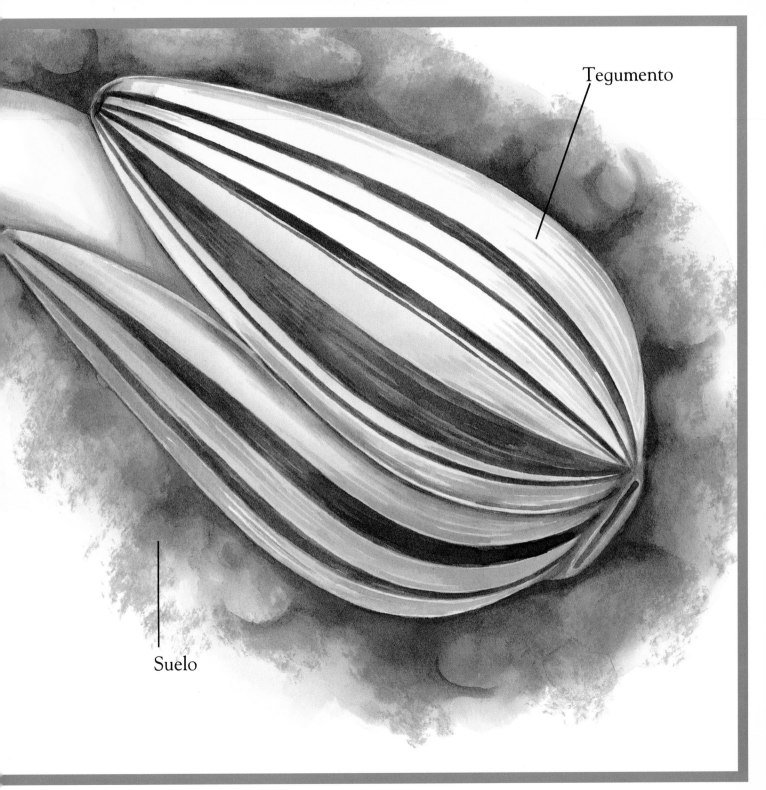

Tegumento

Suelo

El alimento almacenado dentro de la semilla ayuda a la planta a crecer. De la raíz grande comienzan a salir raíces más pequeñas. Las raíces recolectan minerales y agua del suelo para alimentar a la planta en desarrollo. Un capullo oculto entre los cotiledones rompe el tegumento.

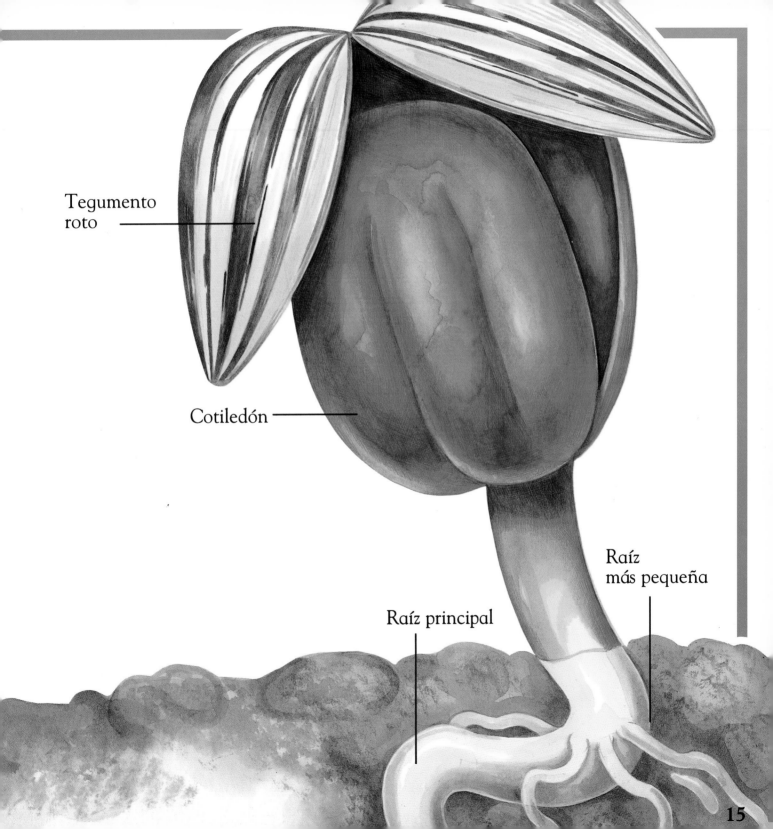

Tegumento
roto

Cotiledón

Raíz principal

Raíz
más pequeña

15

Catarina

La joven planta de
girasol crece cada vez
más y le salen hojas
nuevas. Las hojas usan
el aire, el agua y la luz
solar para producir
comida. Se forman los
capullos de las flores
y las raíces crecen más.
Las raíces toman el
agua del suelo y ayudan
a sostener firme
la planta.

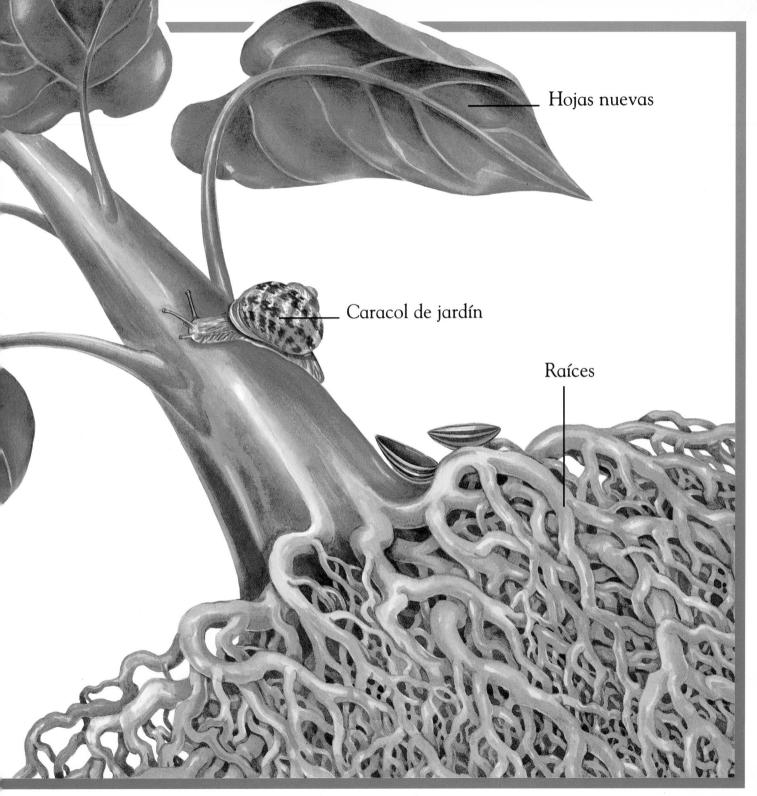

Hojas nuevas

Caracol de jardín

Raíces

17

El capullo de la flor
crece en lo alto del tallo.
Más tarde se abrirá para
convertirse en una
enorme cabezuela.
Cada cabezuela está
formada por muchas
flores diminutas que
nacen muy juntas.
Estas pequeñas flores
producen las semillas.

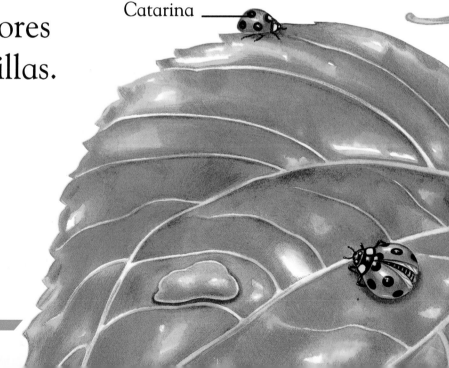

Catarina

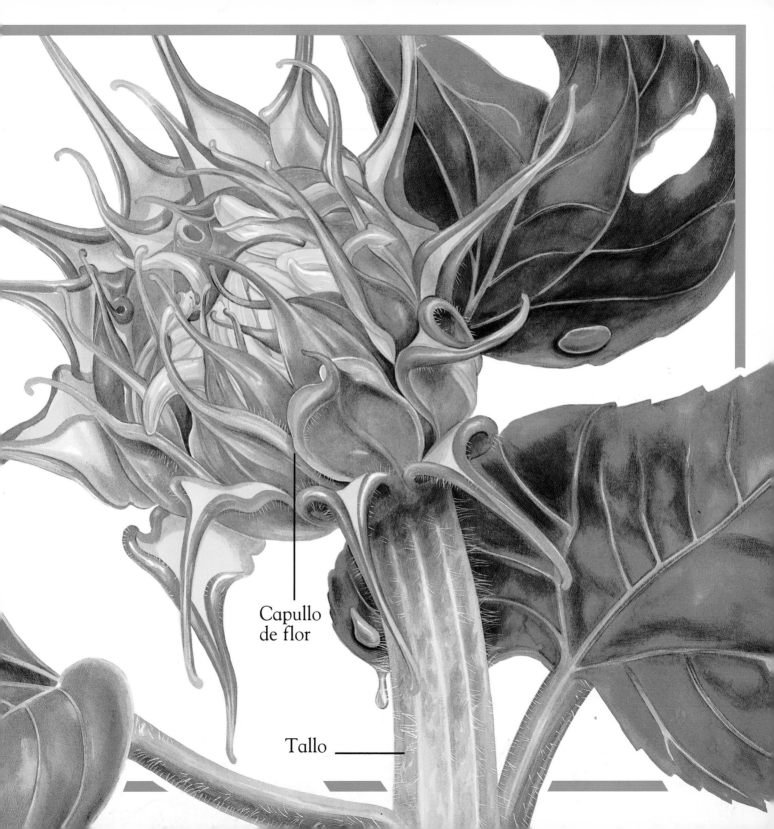

Capullo
de flor

Tallo

Las flores atraen a los insectos porque producen un néctar dulce y polen. Los insectos beben el néctar y, mientras vuelan entre las plantas, también llevan el pegajoso polen de una flor a otra. El polen es el que hace que las plantas produzcan semillas nuevas. A esto se le llama polinización.

Las diminutas semillas maduran. Las aves se llevan las semillas que están en la cabezuela. Algunas semillas se las comen los animales, pero a otras las dispersa el viento. Unas quedan atrapadas entre el pelo de los animales y caen al suelo después, más lejos. Las semillas pueden alejarse mucho de la planta de origen.

En otoño, el girasol se seca y muere. Las semillas que no se han comido los pájaros o que no se ha llevado el viento caen al suelo. Estas semillas estarán listas para crecer la próxima primavera.

Las semillas caen al suelo.

Cabezuela seca

Datos curiosos

Las semillas de girasol miden casi un centímetro de largo.

El girasol es una planta alta: puede crecer hasta tres metros y medio de altura.

La raíz principal del girasol puede crecer hasta tres metros por debajo del suelo.

La cabezuela del girasol puede medir hasta 40 centímetros de diámetro.

Algunos jardineros cultivan girasoles ornamentales con pétalos rojos y rayados.

Las hojas principales del girasol tienen forma de corazón. Miden cerca de 30 centímetros de ancho y 20 centímetros de largo.

El girasol vuelve sus flores hacia el Sol y lo sigue en su camino por el cielo.

El girasol es originario de América, donde los nativos lo cultivaban desde el sur de Canadá hasta México.

Las semillas de girasol se llevaron de América a España en 1510.

El desarrollo de un girasol

En primavera, el tegumento de la semilla se abre y brotan una raíz y un retoño. La raíz y el retoño usan los minerales del suelo para crecer. Luego la planta forma un capullo y crece el girasol. En otoño, el girasol se marchita y las semillas caen a la tierra.

Semilla   Brota el cotiledón   5 semanas 9 semanas

Hace 200 años los granjeros comenzaron a cultivar girasoles para obtener de las semillas el aceite de girasol.

América es el principal productor de girasoles, pero también se cultivan en Europa.

El aceite de las semillas se usa para cocinar. Las semillas también pueden comerse.

Los restos de las semillas de las que se extrae el aceite pueden usarse para alimentar animales.

e forma un capullo   12 semanas   Florece   Planta adulta   Planta seca   Caen las semillas

Glosario

Cabezuela
Conjunto de muchas flores diminutas que nacen muy juntas.

Capullo
La parte superior de un retoño o rama. En el capullo crecen hojas nuevas y flores.

Cotiledón
Las primeras hojas que le salen a una planta cuando crece de una semilla.

Extinto
Una planta o animal del que ya no existen ejemplares vivos.

Germinación
La etapa en el ciclo de la vida de una planta cuando la semilla comienza a crecer.

Minerales
Alimento especial que hay en el suelo, para la planta. Las plantas necesitan minerales para poder crecer.

Néctar
Líquido azucarado, dulzón, que producen las flores para atraer a los insectos.

Polen
El polvo fino de una flor macho. Los insectos y el viento transfieren el polen a una planta hembra. Cuando eso sucede se forman semillas.

Polinización
El movimiento de polen de una flor a otra.

Raíz
La parte de la planta que crece hacia abajo, en el suelo.

Retoño
Un tallo o rama nueva de una planta.

Semilla
La parte de la planta que contiene la planta joven. Cuando crece, la planta nace.

Tallo
La parte de la planta que crece hacia arriba, en el aire. Las hojas y flores crecen en el tallo.

Tegumento
Cubierta dura exterior de la semilla.

Índice

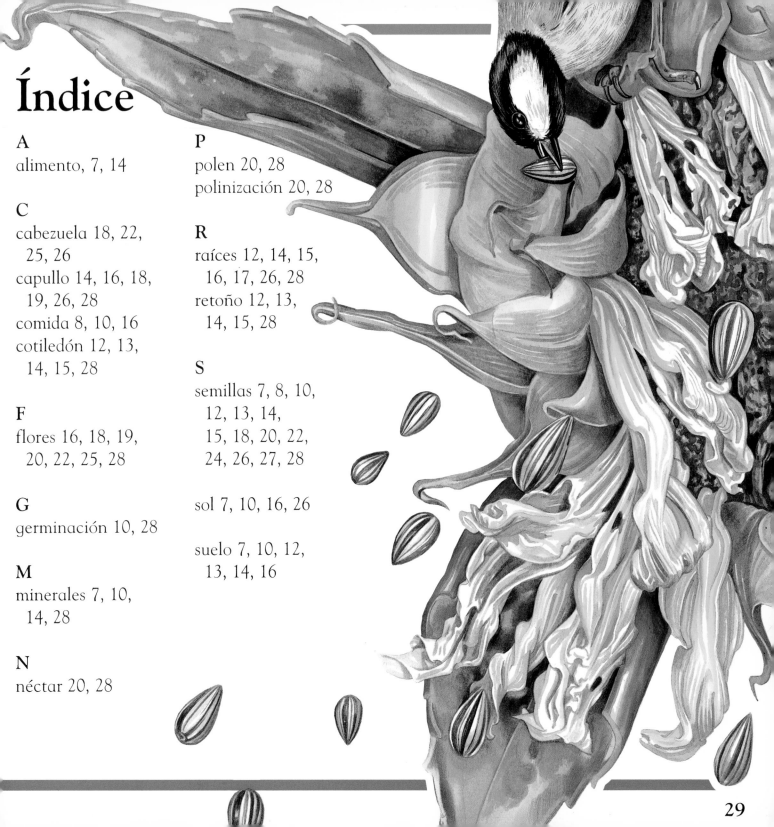

A

alimento, 7, 14

C

cabezuela 18, 22, 25, 26

capullo 14, 16, 18, 19, 26, 28

comida 8, 10, 16

cotiledón 12, 13, 14, 15, 28

F

flores 16, 18, 19, 20, 22, 25, 28

G

germinación 10, 28

M

minerales 7, 10, 14, 28

N

néctar 20, 28

P

polen 20, 28

polinización 20, 28

R

raíces 12, 14, 15, 16, 17, 26, 28

retoño 12, 13, 14, 15, 28

S

semillas 7, 8, 10, 12, 13, 14, 15, 18, 20, 22, 24, 26, 27, 28

sol 7, 10, 16, 26

suelo 7, 10, 12, 13, 14, 16